LES BALEINES

Auteur
Agnès VANDEWIÈLE

Illustrations
Bernard ALUNNI
Marie-Christine LEMAYEUR
Jacques DAYAN

Collection créée et conçue par
Émilie BEAUMONT

FLEURUS

GROUPE FLEURUS, 15-27, rue Moussorgski 75018 PARIS
www.editionsfleurus.com

LES ANCÊTRES

Les ancêtres des cétacés sont des mammifères terrestres qui se sont progressivement transformés pour s'adapter à la vie aquatique. En quelques millions d'années, leurs pattes raccourcissent, leur museau s'allonge et leurs narines se déplacent vers le sommet du crâne, afin qu'ils puissent respirer sous l'eau. Peu à peu, le bassin et les pattes arrière disparaissent, les pattes avant se changent en nageoires pectorales, et leur queue, en nageoire caudale. Deux groupes, les cétacés à dents et les cétacés à fanons – les baleines –, peuplent aujourd'hui tous les océans du monde.

L'un des ancêtres possibles des baleines, le mesonyx, était un mammifère terrestre se nourrissant de poissons et de crustacés.

▲ Ambulocetus

On peut dire que cet animal apparu il y a 49 millions d'années était une « baleine qui marche et qui nage ». C'était un mammifère amphibie qui se déplaçait sur terre ou nageait dans l'eau avec ses pattes transformées en pagaies, en faisant onduler son corps. Il plongeait pour pêcher et son tympan lui permettait d'entendre les bruits sous l'eau.

Rodhocetus ▲

Il y a 45 millions d'années, ce successeur de l'ambulocetus était encore mieux adapté au milieu aquatique. Avec son corps fuselé long de 1,50 à 5 m, il se propulsait dans l'eau grâce à sa nageoire caudale et à ses membres inférieurs qui s'étaient raccourcis. Ses narines étaient montées sur le haut de son crâne, il pouvait ainsi nager sans sortir la tête de l'eau. Il attrapait des poissons avec sa mâchoire en forme de bec munie de petites dents.

▼ Zeuglodon

Il y a 40 à 45 millions d'années, cet énorme animal, long de 15 à 20 m et pesant 5 à 6 t (aussi lourd qu'un éléphant), était conçu pour la nage. Il se propulsait à la seule force de sa nageoire caudale et n'avait plus besoin de s'aider, comme le rodhocetus, de ses membres inférieurs, d'ailleurs atrophiés.

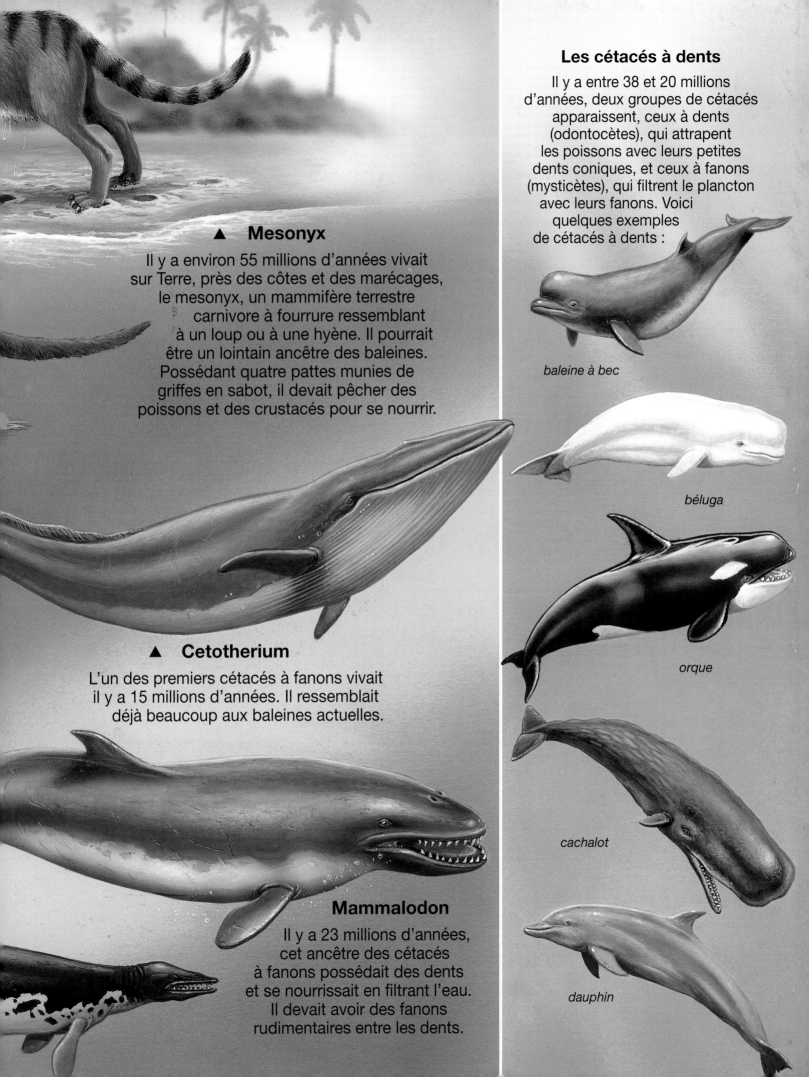

▲ Mesonyx

Il y a environ 55 millions d'années vivait sur Terre, près des côtes et des marécages, le mesonyx, un mammifère terrestre carnivore à fourrure ressemblant à un loup ou à une hyène. Il pourrait être un lointain ancêtre des baleines. Possédant quatre pattes munies de griffes en sabot, il devait pêcher des poissons et des crustacés pour se nourrir.

▲ Cetotherium

L'un des premiers cétacés à fanons vivait il y a 15 millions d'années. Il ressemblait déjà beaucoup aux baleines actuelles.

Mammalodon

Il y a 23 millions d'années, cet ancêtre des cétacés à fanons possédait des dents et se nourrissait en filtrant l'eau. Il devait avoir des fanons rudimentaires entre les dents.

Les cétacés à dents

Il y a entre 38 et 20 millions d'années, deux groupes de cétacés apparaissent, ceux à dents (odontocètes), qui attrapent les poissons avec leurs petites dents coniques, et ceux à fanons (mysticètes), qui filtrent le plancton avec leurs fanons. Voici quelques exemples de cétacés à dents :

baleine à bec

béluga

orque

cachalot

dauphin

LA BALEINE

La baleine est un mammifère marin. Animal à sang chaud, elle respire par des poumons et allaite ses petits. Les baleines sont des cétacés, comme les dauphins. Mais, alors que ces derniers ont des dents, elles ont des fanons. On compte 13 espèces de baleines, réparties en 4 familles : les rorquals, les baleines franches, les baleines grises et la baleine pygmée. Leur taille varie de 5 m pour la plus petite à 33 m pour la plus grande, le rorqual bleu, qui est aussi le plus gros des animaux ayant jamais existé. C'est parce que leur corps est porté par l'eau que les baleines sont gigantesques. À terre, elles seraient écrasées sous leur poids.

Les fanons

La baleine n'a pas de dents, mais sa mâchoire possède des fanons, lames de corne souples, bordées de poils à l'intérieur, qui filtrent et retiennent les petits organismes dont elle se nourrit. Le cétacé nage la gueule ouverte et engouffre des milliers d'animaux minuscules, le krill. La baleine du Groenland possède les plus longs fanons (4,50 m). Chez certaines baleines, ils peuvent être au nombre de 800 !

*La baleine respire grâce à deux **évents** situés sur le sommet de sa tête, qui correspondent aux narines des mammifères terrestres. L'évent est fermé par un clapet actionné par des muscles. Il s'ouvre au moment de la respiration afin que la baleine fasse entrer de l'air dans ses poumons.*

*La baleine se sert de ses **nageoires pectorales** comme de pagaies pour maintenir son équilibre et se diriger. La plupart des baleines possèdent sur le dos un aileron qui joue le rôle de stabilisateur. Cette baleine grise, comme les baleines franches, n'a pas d'aileron, mais une série de bosses le long de l'arête dorsale. La baleine agite ses nageoires et sa queue pour refroidir son corps quand la température augmente.*

La respiration

La baleine doit, entre deux plongées, revenir à la surface pour respirer. Elle ouvre alors ses évents et expulse l'air de ses poumons en rejetant un panache de vapeur : le souffle. Il est de forme et de taille différentes selon les espèces et permet de les identifier en mer : le souffle de la baleine grise atteint 4,50 m de haut, celui du rorqual bleu 9 m. Une fois qu'elle a soufflé, la baleine inspire de l'air et stocke de l'oxygène dans ses poumons. Puis elle s'enfonce à nouveau dans l'eau pour y chercher sa nourriture. Les rorquals plongent 10 à 15 min pour se nourrir, puis refont surface pendant 5 à 10 min, pour souffler à peu près une fois par minute.

bosses   balanes

*Quand elle nage, la baleine se propulse vers l'avant en faisant des battements avec sa grande queue, ou **nageoire caudale,** qui s'étale en deux ailerons horizontaux à l'extrémité de son corps.*

La peau

La baleine a une peau douce et lisse, conçue pour glisser dans l'eau. Sous la peau se trouve une épaisse couche de graisse, le lard, qui empêche l'animal de perdre de la chaleur dans l'eau froide : c'est la thermorégulation. Le corps de la baleine se maintient ainsi à 36 ou 37 °C. Chez la baleine du Groenland, la couche de lard peut atteindre 60 cm d'épaisseur. La peau de certaines baleines est couverte de petits crustacés parasites, les balanes, entourés de nombreux poux de mer.

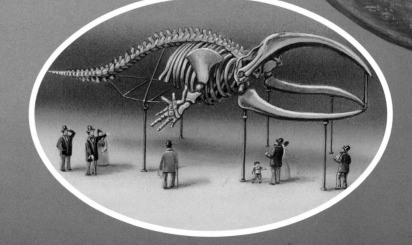

La baleine bleue, ou rorqual bleu, est le plus grand animal de tous les temps. Son crâne mesure environ 8 m², ce qui équivaut à peu près à la superficie d'une chambre de taille moyenne.

LES RORQUALS

Parmi les rorquals, on trouve le géant des mers, le rorqual bleu, plus grand que n'importe quel dinosaure. Tous les rorquals ont un corps fuselé, un aileron dorsal, des fanons courts et larges, et des sillons extensibles sous la gorge et le ventre. Quand ils nagent, leur peau se rétracte et forme des plis. Excepté pour la baleine à bosse, les nageoires des rorquals sont plutôt courtes. Les rorquals de l'hémisphère Sud sont souvent plus grands que ceux de l'hémisphère Nord. Tous les rorquals vivent en haute mer, et leur vie est rythmée par les migrations saisonnières.

Le petit rorqual

Le plus petit de tous les rorquals mesure 10 m au maximum et pèse 13 t. Il est gris foncé, avec sur les deux côtés une bande gris clair qui s'éclaircit au niveau du ventre. Son museau est très pointu. Il se nourrit essentiellement de poisson (hareng, morue). Il mange aussi du krill, des calmars et des crevettes. Les petits rorquals, plutôt solitaires, parcourent mers et océans à 4 ou 5 km/h et nagent souvent près des navires. Ils peuvent vivre une soixantaine d'années.

La baleine à bosse

Elle a un corps plus massif que les autres rorquals. Sa tête et le bord de ses nageoires sont couverts de protubérances, sur lesquelles se fixent les balanes, petits crustacés en forme de cônes. Elle se distingue des autres rorquals par ses longues nageoires pectorales : ces sortes d'ailes géantes qui mesurent 5 m, soit environ un tiers de son corps, lui ont valu le nom de mégaptère, « la grande aile ».

Les baleines à bosse sillonnent tous les océans de la planète. Selon les endroits, elles se nourrissent de krill ou de poisson.

Le rorqual bleu

C'est le plus grand et le plus gros de tous les animaux vivants. Il est aussi long que 4 autobus (20 à 33 m) et plus lourd que 20 éléphants (110 à 150 t). Son cœur est aussi gros qu'une petite voiture et sa langue pèse 4 t, autant qu'un éléphant !

Le rorqual bleu parcourt tous les océans et passe l'été dans les régions polaires, où il se régale de krill. Son souffle géant, le plus haut parmi ceux des rorquals, peut atteindre 9 m.

10

Le rorqual de Bryde ne se rencontre que dans les régions tropicales et subtropicales où l'eau est à 20 °C. Il ne migre pas et se reproduit toute l'année.

Les rorquals de Rudolphi vivent plutôt dans les eaux tempérées, en pleine mer ou au large des côtes. Ils sont capables de plonger jusqu'à 300 m.

Craintif, le rorqual commun reste loin des côtes et voyage dans les mers du monde entier, seul ou en petits groupes.

Le rorqual de Rudolphi et le rorqual de Bryde

Long de 13 à 16 m, le rorqual de Rudolphi (à gauche) est le plus rapide des rorquals : il nage jusqu'à 50 km/h. Son dos et ses flancs gris foncé présentent une cinquantaine de sillons très courts. Chacune de ses deux mâchoires porte jusqu'à 380 fanons frangés de soies très fines.

Les rorquals de Rudolphi sont souvent solitaires, mais nagent parfois en couple ou en petits groupes de 3 à 5. Ils peuvent atteindre l'âge de 70 ans.

Le rorqual de Bryde (ci-dessus) ressemble beaucoup au rorqual de Rudolphi, mais il a des nageoires plus petites, des fanons et des sillons ventraux plus longs. Il n'est pas très gros : il mesure 9 à 12 m de long et pèse 16 à 20 t. Son souffle s'élève à 4 m de haut.

Le rorqual commun

C'est, après le rorqual bleu, le plus grand de tous les animaux. Il mesure jusqu'à 27 m de long et pèse 45 à 70 t. Avec son corps svelte et fuselé, il nage rapidement, et peut maintenir une vitesse de 19 km/h pendant 15 min. Lors des migrations, il peut même atteindre 32 km/h. Pour pêcher poissons, seiches et krill, il n'hésite pas à plonger jusqu'à 300 m de profondeur et à rester 20 min sous l'eau sans respirer. Certains rorquals communs vivent jusqu'à 100 ans.

LES AUTRES BALEINES

Outre les rorquals, il existe 3 autres familles de baleines : les baleines franches, qui comptent 2 espèces, la baleine pygmée et la baleine grise. Les baleines franches ont un corps plus massif que les rorquals, elles n'ont pas de sillons ventraux ni d'aileron comme la baleine pygmée. Le haut de leur mâchoire, très arqué, contient de longs fanons. La baleine grise, comme les baleines franches, n'a pas d'aileron. En revanche, ses fanons sont plus courts. Son corps est plus élancé que celui des baleines franches et moins fuselé que celui des rorquals.

La baleine du Groenland ▶

Cette baleine au corps massif mesure 15 à 20 m et pèse 70 à 100 t. Sa grosse tête, avec sa mâchoire fortement arquée, mesure un tiers de son corps. On la reconnaît à la tache claire qui couvre une partie de sa tête. Son énorme gueule contient une langue de 1 t. De toutes les baleines, c'est celle qui a les plus longs fanons : ils mesurent 4,50 m. Elle est aussi l'un des rares cétacés à vivre dans les régions polaires de l'Arctique, et doit casser la glace pour respirer à la surface.

La baleine grise ▼

Elle mesure 12 à 15 m de long, pour un poids de 26 à 31 t. Sa gorge comporte deux à quatre sillons, et son corps et sa tête sont couverts de balanes et de poux de mer. Elle se distingue des autres par sa façon particulière de se nourrir : elle racle le fond de la mer à la recherche de petits crustacés, ce qui lui a valu le surnom de « déterreuse de moules ». Mais elle se nourrit également en pleine mer. C'est aussi elle qui effectue la plus grande migration.

Les baleiniers n'ont jamais chassé la baleine pygmée car elle est trop petite.

◀ La baleine pygmée

C'est le plus petit des cétacés à fanons. Elle mesure environ 5 m de long et pèse 4,5 t. Son dos est noir ou gris, et son ventre blanc. Longue et fine, elle se différencie des autres baleines franches par un aileron dorsal. Elle nage lentement, seule ou en petits groupes. Les baleines pygmées ne vivent que dans les océans de l'hémisphère Sud, dans les eaux côtières peu profondes et les baies au large de la Nouvelle-Zélande, de l'Australie, de l'Amérique du Sud et de l'Afrique du Sud.

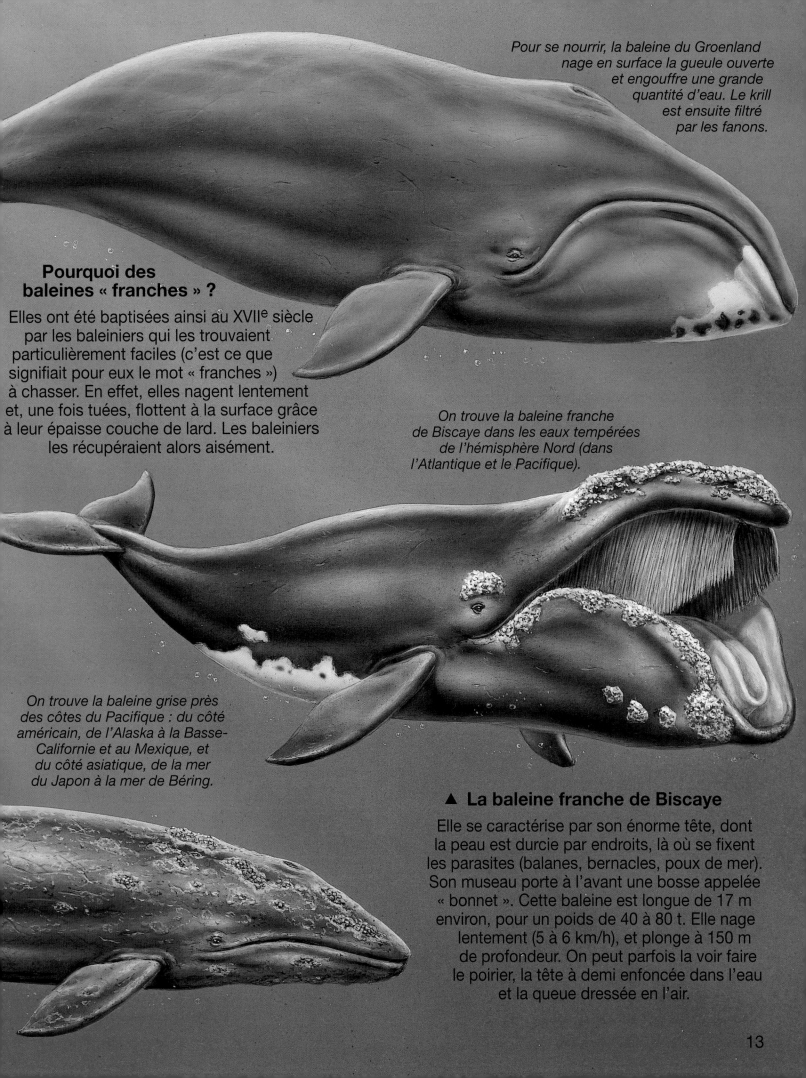

Pour se nourrir, la baleine du Groenland nage en surface la gueule ouverte et engouffre une grande quantité d'eau. Le krill est ensuite filtré par les fanons.

Pourquoi des baleines « franches » ?

Elles ont été baptisées ainsi au XVIIe siècle par les baleiniers qui les trouvaient particulièrement faciles (c'est ce que signifiait pour eux le mot « franches ») à chasser. En effet, elles nagent lentement et, une fois tuées, flottent à la surface grâce à leur épaisse couche de lard. Les baleiniers les récupéraient alors aisément.

On trouve la baleine franche de Biscaye dans les eaux tempérées de l'hémisphère Nord (dans l'Atlantique et le Pacifique).

On trouve la baleine grise près des côtes du Pacifique : du côté américain, de l'Alaska à la Basse-Californie et au Mexique, et du côté asiatique, de la mer du Japon à la mer de Béring.

▲ La baleine franche de Biscaye

Elle se caractérise par son énorme tête, dont la peau est durcie par endroits, là où se fixent les parasites (balanes, bernacles, poux de mer). Son museau porte à l'avant une bosse appelée « bonnet ». Cette baleine est longue de 17 m environ, pour un poids de 40 à 80 t. Elle nage lentement (5 à 6 km/h), et plonge à 150 m de profondeur. On peut parfois la voir faire le poirier, la tête à demi enfoncée dans l'eau et la queue dressée en l'air.

LES PETITS

Les cétacés sont les seuls mammifères à se reproduire en pleine mer. Chez certaines espèces, les mâles se livrent à de violents combats pour séduire les femelles en âge de procréer. Comme chez l'homme, le petit se développe dans l'utérus de sa mère. Beaucoup de baleines parcourent des milliers de kilomètres pour rejoindre les eaux chaudes et tempérées, y passer l'hiver et donner naissance à un unique baleineau, qu'elles ont porté pendant 10 à 13 mois. Les baleines ont en moyenne un petit tous les 2 à 3 ans, qu'elles allaitent 6 à 10 mois. Les femelles s'occupent seules de leur petit, sans les mâles.

Certaines baleines s'accouplent ventre contre ventre ou tournées de côté, flanc contre flanc.

La baleine soulève sa queue pour plonger ou communiquer avec ses semblables. Parfois, le mâle prend cette posture et fait claquer sa queue sur l'eau pour appeler les femelles.

Les parades amoureuses

Chez les baleines à bosse, pendant la saison de reproduction, les mâles chantent pour attirer les femelles. Ils peuvent suivre des groupes où se trouvent une ou plusieurs femelles et tenter de les attirer en paradant et en écartant d'éventuels rivaux. Ils déploient leur gorge ou agitent leur queue. Les mâles se livrent aussi des batailles, se jetant violemment sur leur adversaire, tête la première, et battant la surface de l'eau avec leur queue pour frapper le rival. Ces luttes spectaculaires laissent des blessures et des cicatrices. Les mâles trop faibles pour en affronter d'autres au sein d'un groupe suivent parfois une mère avec un petit et attendent qu'elle soit en chaleur, à nouveau prête à procréer.

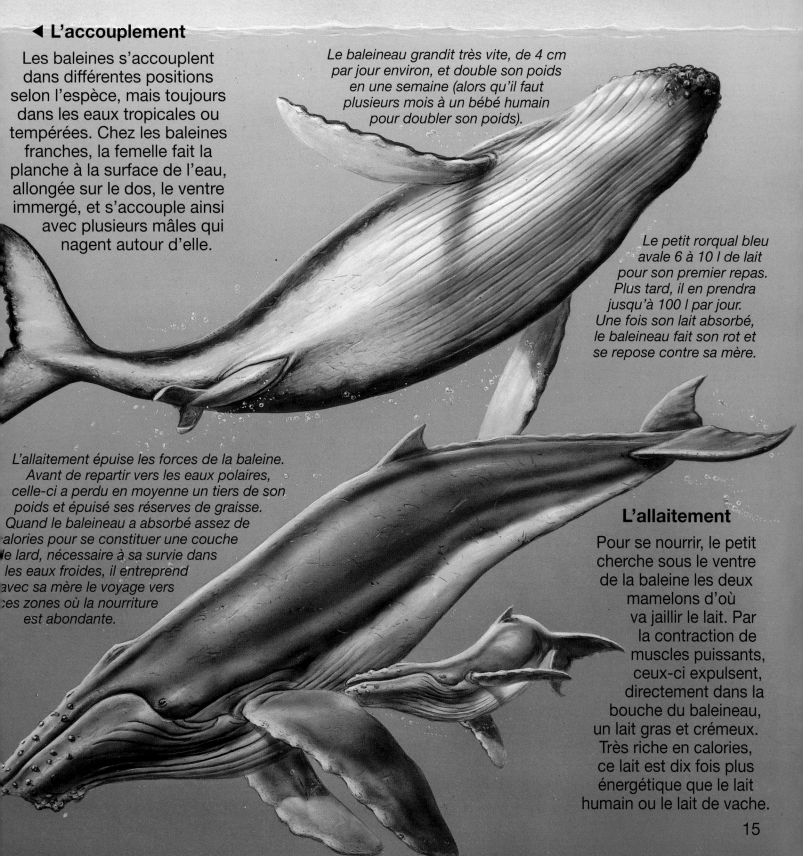

L'accouchement

Après 10 à 13 mois de gestation selon les espèces, la baleine met au monde un baleineau. Il sort du ventre queue la première, et le cordon ombilical se rompt. Le petit du rorqual bleu est le plus gros bébé du monde : il pèse déjà 4 t et mesure 7 m de long. Sa mère le prend sur son nez et le porte à la surface de l'eau pour qu'il prenne sa première inspiration. Le nouveau-né apprend à nager tout de suite. La mère l'aide du bout de son museau dans ses premières tentatives. Comme il ne peut pas rester longtemps sous l'eau, il remonte souvent à la surface pour respirer. Il craint les orques et se réfugie près de sa mère au moindre danger.

◄ L'accouplement

Les baleines s'accouplent dans différentes positions selon l'espèce, mais toujours dans les eaux tropicales ou tempérées. Chez les baleines franches, la femelle fait la planche à la surface de l'eau, allongée sur le dos, le ventre immergé, et s'accouple ainsi avec plusieurs mâles qui nagent autour d'elle.

Le baleineau grandit très vite, de 4 cm par jour environ, et double son poids en une semaine (alors qu'il faut plusieurs mois à un bébé humain pour doubler son poids).

Le petit rorqual bleu avale 6 à 10 l de lait pour son premier repas. Plus tard, il en prendra jusqu'à 100 l par jour. Une fois son lait absorbé, le baleineau fait son rot et se repose contre sa mère.

L'allaitement épuise les forces de la baleine. Avant de repartir vers les eaux polaires, celle-ci a perdu en moyenne un tiers de son poids et épuisé ses réserves de graisse. Quand le baleineau a absorbé assez de calories pour se constituer une couche de lard, nécessaire à sa survie dans les eaux froides, il entreprend avec sa mère le voyage vers ces zones où la nourriture est abondante.

L'allaitement

Pour se nourrir, le petit cherche sous le ventre de la baleine les deux mamelons d'où va jaillir le lait. Par la contraction de muscles puissants, ceux-ci expulsent, directement dans la bouche du baleineau, un lait gras et crémeux. Très riche en calories, ce lait est dix fois plus énergétique que le lait humain ou le lait de vache.

15

LES MIGRATIONS

La vie des baleines est rythmée par les migrations saisonnières. Elles font d'incessants va-et-vient entre les zones d'alimentation estivales, dans les eaux froides, et les zones de reproduction hivernales, dans les eaux chaudes, parcourant des milliers de kilomètres sur tous les océans du globe. Pour rejoindre ces lieux, elles entreprennent chaque année le même voyage, à la même saison. En général, elles ne franchissent pas l'équateur, les populations de l'hémisphère Nord et celles du Sud ne se rencontrant pas. Au printemps, les petits nés dans les eaux chaudes regagnent avec leur mère les eaux polaires.

L'orientation des baleines

Les baleines écoutent les bruits de leur environnement sous-marin : elles en dressent une sorte de carte acoustique qui leur permet par la suite de reconnaître les lieux, de se repérer et de se diriger. Dans les profondeurs des océans, où la visibilité est faible, c'est grâce aux sons que les baleines peuvent s'orienter. Ainsi, les baleines franches boréales, qui naviguent dans les mers gelées, lancent des cris que répercutent les glaces, et s'orientent grâce à ces échos sonores. On pense que la baleine grise possède dans son cerveau des particules de magnétite (minerai de fer aux qualités magnétiques) naturellement orientées au nord, lui permettant, comme une boussole, de repérer sa position grâce au champ magnétique terrestre.

baleine grise

zone de reproduction

zone d'alimentation

baleine à bosse

zone de reproduction

zone d'alimentation

baleine franche

zone de reproduction

zone d'alimentation

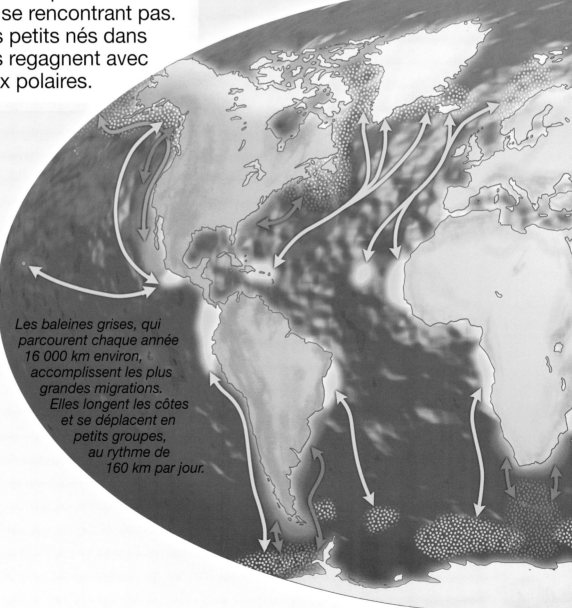

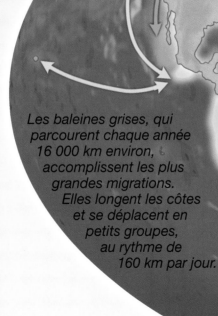

Les baleines grises, qui parcourent chaque année 16 000 km environ, accomplissent les plus grandes migrations. Elles longent les côtes et se déplacent en petits groupes, au rythme de 160 km par jour.

Localiser les baleines

Pour étudier le déplacement des baleines, les chercheurs utilisent le marquage par satellite. À l'aide d'une arbalète, un marqueur électronique est fixé sur le dos de la baleine. Il transmet des signaux à un satellite, qui les renvoie à un récepteur à terre. Les scientifiques peuvent ainsi localiser l'animal, enregistrer les sons et les battements de son cœur, connaître la profondeur à laquelle il se trouve ainsi que la durée de ses plongées, la fréquence des sons qu'il émet, et même la température de l'eau où il nage. Ainsi, en 1994, le marquage des baleines franches boréales a montré qu'une baleine était allée du Canada en Russie en passant par l'Alaska, parcourant plus de 4 000 km en 34 jours.

Les baleines franches du Groenland se nourrissent près de la banquise et la quittent vers la fin de l'été pour ne pas être encerclées par les glaces. Elles migrent par petits groupes.

Le voyage des baleines à bosse s'étend sur 4 000 à 5 000 km, qu'elles parcourent en 20 à 30 jours, à la vitesse de 7 km/h.

Les échouages

Chaque année, de nombreuses baleines échouent sur les plages (à Cap Cod aux États-Unis, en Tasmanie, en Australie et en Nouvelle-Zélande). Il peut s'agir d'échouages individuels de baleines déjà mortes (de vieillesse, de maladie ou empoisonnées par des eaux polluées), ou d'échouages collectifs de baleines vivantes qui intriguent les chercheurs. On pense que leur système d'orientation peut être perturbé à cause de parasites dans les oreilles, de phénomènes météorologiques (violentes tempêtes, vagues puissantes), de pollutions sonores (bruits causés par des sonars militaires, des moteurs de navires, par l'exploitation pétrolière) ou d'orages magnétiques qui dérèglent la boussole interne des baleines.

On sauve parfois les baleines échouées en les aspergeant d'eau et en les recouvrant de linges humides, avant de les remettre à l'eau.

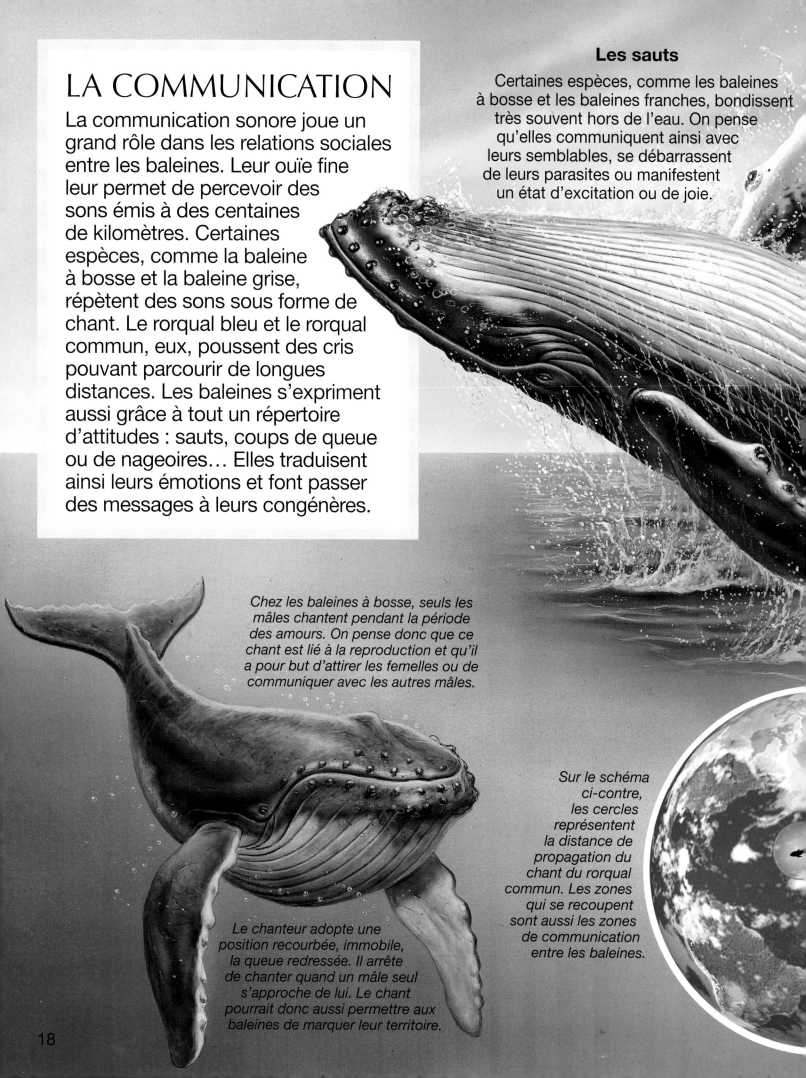

LA COMMUNICATION

La communication sonore joue un grand rôle dans les relations sociales entre les baleines. Leur ouïe fine leur permet de percevoir des sons émis à des centaines de kilomètres. Certaines espèces, comme la baleine à bosse et la baleine grise, répètent des sons sous forme de chant. Le rorqual bleu et le rorqual commun, eux, poussent des cris pouvant parcourir de longues distances. Les baleines s'expriment aussi grâce à tout un répertoire d'attitudes : sauts, coups de queue ou de nageoires… Elles traduisent ainsi leurs émotions et font passer des messages à leurs congénères.

Les sauts

Certaines espèces, comme les baleines à bosse et les baleines franches, bondissent très souvent hors de l'eau. On pense qu'elles communiquent ainsi avec leurs semblables, se débarrassent de leurs parasites ou manifestent un état d'excitation ou de joie.

Chez les baleines à bosse, seuls les mâles chantent pendant la période des amours. On pense donc que ce chant est lié à la reproduction et qu'il a pour but d'attirer les femelles ou de communiquer avec les autres mâles.

Le chanteur adopte une position recourbée, immobile, la queue redressée. Il arrête de chanter quand un mâle seul s'approche de lui. Le chant pourrait donc aussi permettre aux baleines de marquer leur territoire.

Sur le schéma ci-contre, les cercles représentent la distance de propagation du chant du rorqual commun. Les zones qui se recoupent sont aussi les zones de communication entre les baleines.

Les baleines peuvent aussi frapper la surface de l'eau avec leur queue, ce qui produit un son sourd impressionnant, exprimant peut-être l'énervement ou le désir de transmettre un message. Par des frappes répétées de leurs nageoires pectorales, elles affirment leur présence ou intimident un rival.

Les mâles sautent fréquemment en période de reproduction, pour attirer une femelle ou pour impressionner des rivaux.

Curieux de nature, les cétacés viennent régulièrement observer ce qui se passe à la surface de l'eau. Certaines baleines (petits rorquals, baleines grises, baleines à bosse) se tiennent à la verticale, la tête hors de l'eau, pour observer ou surveiller les alentours. Il arrive aussi que les baleines s'approchent des navires, regardent l'équipage puis s'éloignent.

Le chant

Pour communiquer, les baleines grognent, sifflent, gazouillent, gémissent, ronflent. Ces sons répétitifs sont appelés « chants ». Celui émis par les baleines à bosse mâles est le plus extraordinaire. Les unités de sons se combinent pour former des thèmes. Un chant complet composé de plusieurs thèmes peut durer 6 à 30 min et être entendu à 30 km. Il arrive que ces récitals s'étendent sur des jours entiers. Toutes les baleines à bosse d'un même groupe entonnent le même chant. Mais, dans chaque océan, les espèces ont un chant différent.

La vie en société

Si certaines espèces vivent en petits groupes de 2 à 5 individus, comme les baleines grises ou les rorquals de Rudolphi, d'autres, comme les rorquals bleus, sont solitaires. Ces derniers ne se rassemblent, parfois par centaines, que sur les zones d'alimentation et pendant les périodes de reproduction. Les baleines à bosse, elles, se réunissent pour attaquer des bancs de poissons. Cependant, il n'y a pas entre elles de liens étroits. En revanche, si une baleine est en danger, les autres viennent lui porter secours.

19

LA NOURRITURE

Les baleines se nourrissent d'organismes minuscules, le krill, mais aussi de petits poissons vivant en bancs qu'elles filtrent avec leurs fanons. Leurs périodes d'alimentation sont liées aux migrations : elles s'approvisionnent dans les eaux froides riches en nourriture pendant l'été et ne mangent presque pas pendant l'hiver, lorsqu'elles se trouvent dans les eaux chaudes pour mettre au monde leurs petits. Elles doivent donc, l'été, accumuler une épaisse couche de lard et vivre ensuite sur leurs réserves. Certaines espèces ont développé des méthodes particulières de pêche.

La filtration

Les baleines doivent absorber d'énormes quantités d'eau pour avoir leur ration quotidienne de nourriture, qui varie de 100 kg à 4 t selon les espèces. La gorge des rorquals possède des sillons – ou des plis – qui lui permettent de se gonfler comme une poche quand l'animal avale ces tonnes d'eau. Les fanons jouent un rôle très important dans l'alimentation des baleines : ils fonctionnent comme de gigantesques tamis qui retiennent le krill contenu dans l'eau de mer.

Engouffreuses ou écrémeuses

Les rorquals bleus et les baleines franches ont chacun leur technique pour se nourrir. Les rorquals bleus sont des « engouffreurs » : en ouvrant grand la bouche, ils engloutissent plusieurs tonnes d'eau contenant du krill ou d'autres crustacés minuscules. Quand ils referment la bouche, l'eau de mer s'échappe par les côtés, et les fanons, qui jouent un peu le rôle d'une passoire, retiennent le krill. D'un coup de langue, la baleine récupère la nourriture et la fait glisser au fond de sa gorge pour l'avaler. Les baleines franches, quant à elles, sont des « écrémeuses » : en avançant lentement, la bouche à moitié ouverte, elles écument la surface de l'eau ; l'eau ingurgitée passe à travers les fanons et est rejetée, tandis que la nourriture reste piégée derrière ces mêmes fanons.

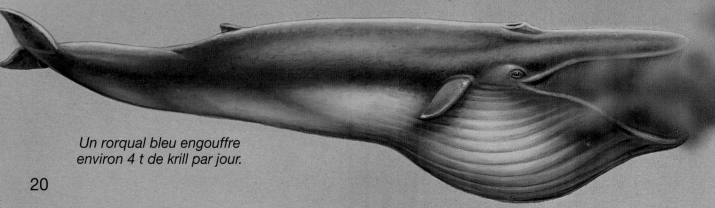

Un rorqual bleu engouffre environ 4 t de krill par jour.

La baleine à bosse

La baleine à bosse de l'hémisphère Nord se nourrit de bancs de poissons (harengs, sardines, maquereaux, capelans), et celle de l'hémisphère Sud, de krill. Pour encercler ses proies, la baleine fabrique un filet de pêche. Dès qu'elle a repéré du krill, elle plonge et remonte en soufflant de l'air par son évent, formant ainsi des bulles d'air disposées en arc de cercle. Puis la baleine s'introduit au milieu du cercle, la bouche grande ouverte, et récupère sa prise.

Parfois, les baleines à bosse pêchent en groupes de 15 à 20 et encerclent un banc de poissons en utilisant la même technique. Les bulles forment à la surface de l'eau un gigantesque cercle, un véritable exploit de parfaite coordination entre les baleines, d'autant plus difficile à réaliser que les poissons sont très habiles pour s'échapper de ce piège !

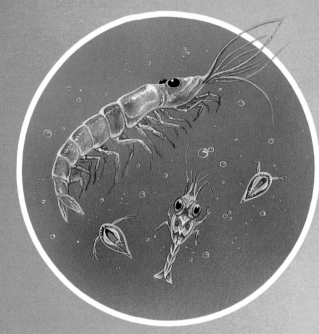

*Le **krill** est constitué d'une quantité de petits crustacés comme les crabes rouges et de minuscules crevettes vivant en bancs compacts. Le krill se nourrit lui-même d'algues minuscules. On le trouve dans les eaux froides des océans polaires. Pendant l'été polaire, les baleines font une véritable orgie de krill et se constituent des réserves de graisse pour toute l'année.*

La baleine grise

Elle s'alimente de façon particulière. C'est le seul cétacé à se nourrir de petits animaux vivant sur les fonds sableux, tels que crustacés, vers, mollusques, seiches, de plancton, d'œufs de poissons trouvés dans les algues, et de sédiments. Pour les récolter, la baleine racle le fond de la mer avec le côté droit de sa bouche. Pour cette raison, ses fanons droits sont plus usés que ses fanons gauches.

Quand le rorqual bleu referme sa gueule, l'eau s'échappe par les côtés et les fanons retiennent le krill.

La baleine grise stocke dans sa bouche de l'eau, du sable et de la vase, qu'elle expulse ensuite sous la forme d'un nuage noir, tandis que ses fanons retiennent les petits animaux dont elle se nourrit. Elle en avale ainsi 1 à 1,5 t par jour.

LA CHASSE À LA BALEINE

Depuis des siècles, les baleines sont chassées pour leur viande et leur graisse. En Europe, les Basques, au IXᵉ siècle, furent parmi les premiers à les pêcher. Au XVIᵉ siècle, Anglais et Hollandais chassent la baleine franche de Biscaye et la baleine boréale. Mais l'industrie baleinière prend son véritable essor au XVIIᵉ siècle avec les premières stations baleinières en Norvège. L'invention du canon-harpon à la fin du XIXᵉ siècle, puis plus tard des navires-usines, accélère le massacre. Depuis 1986, la chasse commerciale est interdite, mais quelques pays, comme le Japon, continuent à la pratiquer.

À bord des baleinières

Au Moyen Âge, les pêcheurs basques pourchassaient les baleines franches à bord de petites embarcations à rames, les baleinières, et utilisaient des harpons. Une fois l'animal blessé, il fallait tout de suite s'en éloigner, car il se débattait violemment. C'est le patron du navire qui achevait la baleine en l'assommant à coups de lance. Le corps de la baleine était hissé à bord du bateau pour y être dépecé.

Les produits baleiniers
L'industrie baleinière utilisait toutes les parties du corps de l'animal pour fabriquer bougies, savons, explosifs, brosses, parapluies, balais, corsets et tamis. Avec les os, les marins sculptaient des bijoux, des ustensiles de cuisine, etc.

Les baleiniers

Au XVIIIe siècle, les flottes baleinières anglaises et écossaises font des campagnes de pêche dans les mers arctiques et l'océan Atlantique. Les navires sont des trois-mâts à coque renforcée pour résister aux chocs des glaces de l'Arctique. Chaque navire compte quatre à six baleinières, menées chacune par six ou sept hommes. Sur le pont du navire se trouve un fondoir, qui récupère la graisse des baleines. Cette graisse est ensuite conservée dans des barils que l'on range dans le fond de la cale.

On estime qu'environ 1 550 cétacés sont encore tués chaque année.

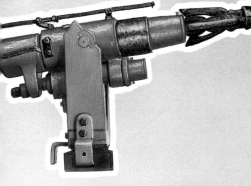

Les navires-usines

Les navires-usines modernes japonais localisent les baleines au moyen de sonars, puis les tuent avec des harpons explosifs. Les baleines, hissées par des treuils à l'arrière des navires, y sont alors dépecées.

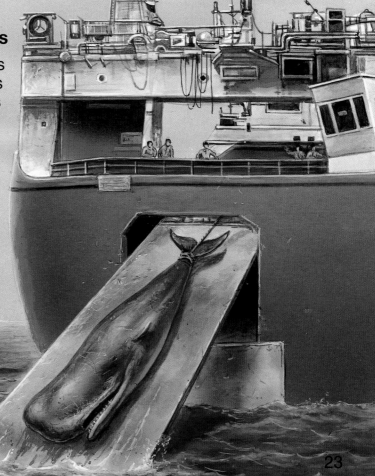

L'invention du canon-harpon

En 1864, un baleinier norvégien met au point un nouveau harpon monté à l'avant du bateau. Lancé par un canon d'une portée de 50 m, celui-ci déclenche chez la baleine une explosion qui la tue en quelques minutes, alors qu'il fallait plusieurs heures au harpon classique pour achever la proie. Cette invention met fin à la chasse artisanale à la baleine et ouvre l'ère de la chasse industrielle.

LES PROTÉGER

La chasse intensive a décimé de nombreuses baleines. En 1946 a été créée la Commission baleinière internationale, qui limite aujourd'hui la capture de certaines espèces, comme le petit rorqual, à des buts scientifiques ou pour l'alimentation de certains peuples, tels les Inuits. D'autres espèces sont totalement protégées : la baleine des Basques, la baleine franche australe ou la baleine franche du Pacifique Nord. On a aussi créé des « sanctuaires », des zones où il est totalement interdit de pêcher les baleines, comme l'océan Indien et l'océan Antarctique. Mais certains pays ne respectent pas cette interdiction.

Le « whale watching »

Le tourisme lié à l'observation des baleines « whale watching » ne cesse de se développer. C'est un moyen d'intéresser le public au sort et à la protection des baleines. Ce tourisme est né en 1955 aux États-Unis avec l'observation des baleines grises. Depuis, on organise des sorties en mer aux quatre coins du monde, sur les sites d'alimentation et de reproduction. On peut ainsi voir des baleines à bosse en Alaska et à Hawaii, des baleines grises dans les lagunes de Basse-Californie au Mexique, des rorquals bleus et des rorquals communs dans le Saint-Laurent, au Québec.

Des sauvetages de baleines

En 1988, les chasseurs de baleines inupiats de l'Alaska ont réussi, à l'aide d'une équipe internationale, à sauver de jeunes baleines encerclées par les glaces. Il a fallu percer une série de trous avec une tronçonneuse pour qu'elles puissent respirer, puis utiliser des navires brise-glace pour leur permettre de rejoindre la mer. On a ainsi pu sauver deux baleines. En 1997, un bébé baleine, échoué sur une plage de Californie, a été sauvé grâce à un séjour d'un an au parc Sea World de San Diego. Là, nourri avec un lait spécial et 400 kg de poisson par jour, il a grandi rapidement et a pu être relâché dans l'océan Pacifique en 1998.

Sauvetage de baleines en Alaska en 1988

...percevoir la queue d'une baleine qui plonge est un spectacle unique.

Baleine prise dans un filet de pêche

Des règles à respecter

Quand on s'approche des baleines, il faut éviter de les déranger (par des bruits de moteur par exemple), de rester trop longtemps près d'elles, ne pas suivre toujours le même groupe et ne pas séparer une mère de son petit. Par ailleurs, afin de pouvoir retrouver les baleines toujours au même endroit, il arrive que les organisateurs les nourrissent régulièrement. On peut alors craindre qu'avec le temps les baleines perdent l'habitude et la capacité de se nourrir elles-mêmes et qu'elles deviennent domestiques.

Les filets de pêche meurtriers

Chaque année, de nombreuses baleines se prennent involontairement dans des filets de pêcheurs. Ne parvenant plus à bouger, elles ne peuvent se nourrir et meurent de faim.

Des pollutions diverses

La pollution chimique, qui peut mener à l'empoisonnement, et la pollution acoustique (bruits et sonars des navires, plates-formes pétrolières, explosions), qui perturbe leurs moyens de communiquer et de se diriger, sont aussi des dangers que doivent affronter les baleines.

D'autres dangers

Les collisions avec les bateaux sont également très fréquentes. D'autre part, la surpêche réduit le nombre des poissons dont les baleines se nourrissent. Elles doivent aussi se protéger de leurs ennemis naturels, les requins et les orques.

MYTHES ET LÉGENDES

Depuis toujours, les baleines ont fasciné et émerveillé les hommes. Les baleines sont souvent redoutées par les marins, qui les voient comme des animaux diaboliques faisant chavirer les navires. Au contraire, en Asie, les pêcheurs du Vietnam pensaient qu'elles étaient envoyées par les dieux pour protéger les marins et transporter les naufragés sur leur dos. Dans la mer du Japon, sur l'île de Seikai-to, dans un temple bouddhique, on célèbre depuis 1679 un service religieux pour les âmes des baleines. Les chasses à la baleine ont aussi inspiré bon nombre d'écrivains.

Les îles-baleines

Dans certains récits, les marins prennent une baleine endormie pour une île et y amarrent leur navire. Mais, à son réveil, la baleine plonge dans l'eau, précipitant dans les flots le navire et son équipage.

La légende de saint Brendon

La légende de saint Brendon raconte les aventures d'un moine voyageur, abbé bénédictin irlandais, qui partit vers 565 à la recherche de la Terre promise des saints. En naviguant, il rencontra ce qu'il crut être une île, et qui était en fait le dos d'une imposante baleine. Il y débarqua avec ses hommes, y installa un autel et y célébra la messe.

La baleine qui avala Jonas pour le sauver de la noyade le garda trois jours dans son ventre.

Insulæ Fortunatæ

L'histoire de Jonas

Un épisode de la Bible raconte comment le prophète Jonas fut jeté à la mer par des marins, pour calmer la tempête qui faisait rage et menaçait de faire chavirer leur bateau. Aussitôt, la tempête se calma. Alors qu'il allait se noyer, Dieu envoya à Jonas, pour le secourir, un « grand poisson » qui l'avala tout entier. Il s'agissait en réalité d'une baleine qui, trois jours plus tard, le rejeta indemne sur la terre ferme.

La baleine, terreur des marins

Les marins islandais craignaient les baleines, et quiconque à bord prononçait leur nom était privé de nourriture. Ils avaient peur que ces animaux diaboliques, entendant leur nom, s'approchent du bateau et essaient de le détruire. On les appelait seulement « grands poissons ». Les Islandais évitaient les hauts fonds, où les baleines avaient détruit des navires par le passé.

Au Moyen Âge, des récits scandinaves ou islandais décrivaient les baleines comme des monstres terribles qui, bondissant en l'air, faisaient chavirer les bateaux et périr les équipages.

Par miracle, saint Brendon ne connut pas le naufrage qu'aurait pu entraîner sa méprise.

Moby Dick

Les chasses à la baleine ont inspiré de nombreux écrivains, comme Jules Verne et Herman Melville. Moby Dick, « la redoutable baleine blanche », est au centre du roman de Melville. Cet énorme et terrifiant cachalot blanc ayant arraché la jambe du capitaine Achab, celui-ci le poursuit sur tous les océans du globe. Après une très longue errance, Achab et son équipage se retrouvent enfin face à Moby Dick et lui livrent un combat sans merci. Mais le diabolique monstre marin, invincible et immortel, triomphe et fait périr le capitaine et tous ses hommes. Cette histoire est inspirée d'un fait réel : Mocha Dick, un terrible cachalot de 22 m, terrorisait les marins avant d'être tué par un baleinier suédois en 1859. Il est devenu le héros de *Moby Dick* et est entré pour toujours dans la légende.

TABLE DES MATIÈRES

ISBN 10 : 2-215-08447-2
ISBN 13 : 978-2-215-08447-1
© Groupe Fleurus, 2006.
Conforme à la loi n°49-956 du
16 juillet 1949 sur les publications
destinées à la jeunesse.
Dépôt légal à date de parution.
Imprimé en Italie (02-06)